Traducción: Elena Gallo Krahe

Edición: Celia Turrión
Título original: *Kérity, la maison des contes*
© Flammarion, 2009
© De esta edición: Editorial Luis Vives, 2010
Carretera de Madrid, km 315,700
50012 Zaragoza
Teléfono: 913 344 883
www.edelvives.es

ISBN: 978-84-263-7471-4

Impreso en Singapur.

NAT
y el secreto de Eleonora

Texto de **Anik Le Ray**

Creación gráfica original de
Rébecca Dautremer

EDELVIVES

En cuanto empezaban las vacaciones, la familia de Natanael salía de la ciudad en dirección a Kérity, en Bretaña.

Allí los esperaba Eleonora, leyendo en su butaca y con el gato en sus rodillas.

Al final de la carretera, entre los pinos retorcidos, se divisaba la casa.

No se diferenciaba en nada de las demás residencias de la costa

y, sin embargo, albergaba un secreto en lo más recóndito de sus entrañas.

Aquel año, a diferencia de los anteriores, el portón estaba cerrado.
La casa parecía abandonada, y solo salió a recibirlos el gato,
en medio de ronroneos y arrumacos.
Eleonora se había ido al «país de donde nadie regresa».
A pesar de las idas y venidas de los padres para descargar el equipaje,
la casa seguía vacía.

Nat subió al piso de arriba. Miró por la cerradura de la «puerta prohibida».
—¡¡Buuu!! ¡Te has asustado!, ¿eh?
Angélica se deleitaba con el susto que acababa de dar a su hermano.
—Y ahora que Eleonora ha muerto, ¿quién va a leerte cuentos?
A la hora de la siesta, Eleonora le leía cuentos a Natanael.
Tres líneas le bastaban para transportarse al baile de los elefantes o a la selva.

Cuando el libro se cerraba, el niño apoyaba la cabeza en el regazo de la anciana.

Y así se quedaban, inmóviles, evocando en silencio sus fantasías.

—Deja de decir que está muerta, ¡qué tonta eres!

—¡Pues es la pura verdad, y más te valdría aprender a leer!

Natanael sabía leer más o menos, pero no tenía confianza en sí mismo.

El domingo, los padres y sus hijos se reunieron en el salón.
—Como ya sabéis, Eleonora nos ha dejado esta casa. Pero también ha pensado en vosotros dos.
Les dio un sobre. Por un momento, Nat creyó que Eleonora había vuelto para darle un último abrazo. Estaba tan conmovido que no pudo descifrar una sola palabra. Su hermana lo fulminó con la mirada y se lo quitó de las manos.

Natanael, en una especie de neblina, adivinaba, más que oía, las palabras
de Eleonora: «La muñeca rusa del aparador del salón es para Angélica».
«A ti, Nat, te dejo la llave de la "puerta prohibida". Todo lo que hay en la habitación
es tuyo». Había visto mil veces cómo Eleonora desaparecía tras esa puerta,
y a menudo había imaginado cómo sería el otro lado. Angélica casi se atraganta:
para él una habitación entera y para ella una simple muñeca, ¡qué injusticia!

Con un giro de llave, la «puerta prohibida» se abrió.

Natanael se asomó y entró en la gran habitación. No vio nada extraordinario: una mesa polvorienta, un retrato de Eleonora y, cerca de la ventana, un globo terráqueo. Se preguntó qué era lo que la anciana había querido regalarle.

¡Tal vez le deparara una sorpresa detrás de la cortina!

Corrió la tela con las manos.

Y descubrió sorprendido una gigantesca… ¡BIBLIOTECA!
Hasta el techo subían cientos, miles de libros, amontonados unos contra otros.
¡Así que era eso! Como Eleonora ya no estaba a su lado para leerle cuentos,
le dejaba todos sus libros.
Así podría seguir leyendo las historias que tanto le gustaban.
Pero hoy, sin su lectora, los libros parecían haber perdido algo de sabor.

Esa noche sopló un viento de tormenta.

La casa, arrastrada por una enorme ola espumosa, soltó amarras.

Allá iba, flotando en la mar picada.

¡Arriba, abajo! ¡Arriba, abajo! ¡Arriba, abajo!

El viento aullaba en las chimeneas. Las arpías del huracán sacudían los postigos de las ventanas. Las tejas bailaban en los tejados.

¡Arriba, abajo! ¡Arriba, abajo! ¡Arriba, abajo!
Las olas furiosas fustigaban aquella arca que navegaba a la deriva.
Luego, el viento y la lluvia pararon. La casa parecía una isla en medio de ninguna parte.
De pronto, los graznidos de las gaviotas despertaron a Natanael.
La casa seguía en pie, magníficamente sujeta a su roca, pero la tempestad
nocturna la había dejado malherida.

A la mañana siguiente, Nat y su familia se sentían desmoralizados.
Habían hecho un inventario de los daños. Era absolutamente necesario
hacer arreglos por todas partes, pero no disponían de los recursos necesarios.
Ya oían chirriar sobre sus cabezas el cartel amenazador de «Se vende».
Al otro lado de la bahía, parpadeaba el letrero del almacén de Picó.
—¡El anticuario! ¡Podría comprarnos un montón de cosas de la casa!

—Ya he hablado con él —refunfuñó el padre—. Solo le interesan la biblioteca
y la muñeca… En una palabra: vuestra herencia.

—¡No quiero ir de vacaciones a otro lugar! —exclamó Nat—. Prefiero vender los libros.

—Muy generoso por tu parte, cariño —dijo su madre—. Pero ¿y si más adelante
te entran ganas de leerlos? ¡Elige uno! Lo conservarás en recuerdo de Eleonora.

Pero a Nat estar solo delante de un libro sin voz le parecía la cosa más triste del mundo.

¿Cómo decidir entre todos esos libros cuál era su preferido?
Había tantos títulos por descifrar que la tarea se le antojaba imposible.
Le entró el pánico. Las estanterías empezaron a tambalearse y los libros
se pusieron a revolotear por toda la habitación.
Torbellinos de letras se escapaban y bailaban cada vez más deprisa a su alrededor.
A la altura de sus ojos, las «eses» se erguían como serpientes de cascabel.

Ideogramas, ondulantes arabescos, palabras que se enlazaban unas con otras...
¡Un signo de exclamación gigante intentó traspasarle el corazón! Dos paréntesis
negros se cerraron sobre él... Natanael se desmayó sobre la alfombra.
Cuando recuperó el conocimiento, ya era de noche.
Poco a poco le llegaron unos susurros a sus oídos, y luego escuchó unos pasos
ligeros, casi imperceptibles. No se atrevía a respirar...

Una multitud de ojos brillantes, del tamaño de cabezas de alfiler, brillaban en la oscuridad. Lo estaban observando.

—¿Cómo ha conseguido la llave? ¡A lo mejor es el sustituto!

—¿Qué haces aquí, Pies Grandes? —preguntó un pirata de diez centímetros de alto.

—Me llamo Nat, y esta es mi biblioteca.

—Eleonora nos prometió un sustituto. Encantado —dijo un gato de curioso aspecto.

—¿Cómo habéis llegado hasta aquí? ¿De dónde habéis salido? —preguntó Nat
con gran extrañeza al reconocer al Gato con Botas, al Capitán Garfio,
a Cenicienta, a Caperucita Roja e incluso al Lobo Feroz.
—Eleonora nos reunió a todos aquí —explicó Cenicienta—. De cada uno de sus viajes
traía un libro nuevo.
—Los libros de esta biblioteca están… HABITADOS —añadió Gulliver.

El Gato con Botas dio tres golpes con su bastón en la estantería.

—¡Ya podéis salir! —dijo con su acento felino.

En un discreto revuelo de pliegos de cartón y papel arrugado, aparecieron, no decenas, sino centenares de nuevos personajes. Todos querían ver al sustituto.

De pronto, se oyó un «tictac» que sonaba cada vez más fuerte. El Capitán Garfio se escondió creyendo que era el cocodrilo que lo perseguía para devorarlo.

Pero no. Era el Conejo Blanco con su reloj de bolsillo. Aunque puso cara de inocente,
su sonrisa delataba lo mucho que disfrutaba con aquella travesura.
Entonces Nat sintió una presencia familiar: ¡Alicia! Temblando y con las orejas
rojas apenas acertó a farfullar:
—¡Alicia! Esto..., me gustas mucho. Bueno, no. O sea... sí. ¡Me gusta mucho tu historia, vamos!
La bella Alicia le sonrió con cariño. Nat se sintió completamente feliz.

Un muñeco de madera miraba a Natanael por el rabillo del ojo y se entretenía
alargando la nariz exageradamente. ¡Era Pinocho!
Luego, un niño llegó volando hasta Nat. El chico se posó en la mano de Cenicienta
y le pidió que remendara su sombra, que se le había descosido otra vez.
—¡Peter Pan!
De pronto, un personaje mucho más grande que los otros quiso acercarse a él.

Un escalofrío recorrió su espalda. ¡Era el Ogro! Con su enorme boca llena de dientes
afilados dibujó una terrorífica sonrisa… Enseguida aparecieron tres hadas, Juan
y su habichuela mágica, Merlín, el Rey Arturo… Y después salieron los personajes
de *Las mil y una noches* y de *El libro de la selva*. El desfile duró hasta el amanecer.
Nat no estaba cansado. ¡Había conocido a sus amigos de los libros!
Todos ellos tenían un lugar en sus pensamientos, en lo más profundo de sus sueños.

Del fondo de la biblioteca surgió una voz ronca que no paraba de quejarse.
En medio de una nube de polvo, una anciana furiosa, emperifollada con un vestido
negro muy arrugado, levantó una varita mágica de avellano.
—¡Sabrá leer, por lo menos! —gritó la Bruja Malvada con su voz áspera mientras se abría paso
entre los demás. Nat tenía que cumplir el rito que lo convertiría en el sustituto oficial:
solo consistía en leer, en voz alta y clara, una frase que había escrita en la pared.

—¡Lee, te lo ruego! —suplicó el Lobo Feroz—. De lo contrario, nuestros cuentos se borrarán antes de que den las doce del mediodía, ¡y desapareceremos!

De nuevo las palabras se pusieron a bailar, a jugar al escondite, a saltar unas sobre otras.

¡Resultaba imposible leer una sola sílaba! Los personajes empezaban a preocuparse.

—¡Si no sabe ni leer! ¿Creéis que Eleonora nos habrá enviado a un analfabeto?

La Bruja Malvada poseía el mismo talento que Angélica para desanimar a cualquiera.

En ese momento, una camioneta que soltaba petardazos llegó al jardín,
y la voz de tenor del anticuario retumbó en el pasillo:

—Veamos, ¿dónde están esos libros viejos?

—Los libros viejos... ¡pero si somos nosotros! —exclamaron los personajes.

—¡El Pies Grandes nos ha vendido! ¡Traidor! —dijo la Bruja Malvada.

—¡No! ¡Fue sin querer! Ni siquiera sabía que vuestros libros estaban habitados...

La bruja fue incapaz de contener su ira y apuntó a Natanael con la varita mágica.

—Alimañas y sabandijas de corazón enjuto, ¡que se vuelva diminuto! ¡Así aprenderá!

En un abrir y cerrar de ojos, la biblioteca se hizo tan alta como un rascacielos de Nueva York, y el cuerpo de Nat, tan pequeño como el de los personajes de cuento.

—¿Y ahora cómo va a protegernos, si es tan pequeño como nosotros? —protestó Alicia.

Todos comprendieron que tenía razón y fulminaron a la bruja con la mirada...

De repente, el picaporte de la puerta de la biblioteca se movió, y todos pusieron
pies en polvorosa. Con la falda remangada y los bordados y lazos al viento,
la bruja corrió hasta su viejo tomo carcomido y cerró la cubierta del libro
con tal fuerza que un trozo saltó por los aires y cayó al suelo.
En menos de un segundo, todos los libros estaban cerrados. Natanael no sabía dónde
meterse. Por suerte, Alicia le ofreció refugio en la página 34 de su libro.

En pocas horas las estanterías quedaron vacías y las cajas de cartón, amontonadas
en la furgoneta. En la biblioteca quedó un único libro.
—Está demasiado estropeado, no lo quiero —había dicho Picó.
Unos minutos más tarde, la furgoneta daba tumbos por la carretera con su cargamento
de libros, camino del almacén. Picó, que era consciente del tesoro que había adquirido,
ya había llamado a los coleccionistas que conocía. La suerte le sonreía.

Una vez en el almacén, Nat avanzó entre las cajas y chocó contra el tripón del Ogro.
Si no hubiese logrado escapar trepando por un mueble ¡se lo habría zampado en dos bocados!
—¡La Bruja Malvada se ha quedado en la casa! ¡Tienes que volver para recuperar tu tamaño y leer la frase! —le propuso Cenicienta.
Nat estaba preocupado, pero sentía las miradas de sus amigos llenas de esperanza.
—Debes irte antes de que lleguen los Pies Grandes —sugirió el Capitán Garfio.

Una niña blanca como la nieve le entregó a Nat su última cerilla.

Alicia se ofreció a acompañarlo.

De un salto, el Conejo Blanco hizo lo mismo, mientras sacaba del bolsillo su reloj:

—¡Yo me encargo de la puntualidad! Son exactamente las ocho horas, dos segundos...,
tres segundos..., cuatro... ¡Cara de pimiento! ¡No perdamos tiempo!

Natanael recobró el valor. Estaba dispuesto a todo con tal de salvar a sus amigos.

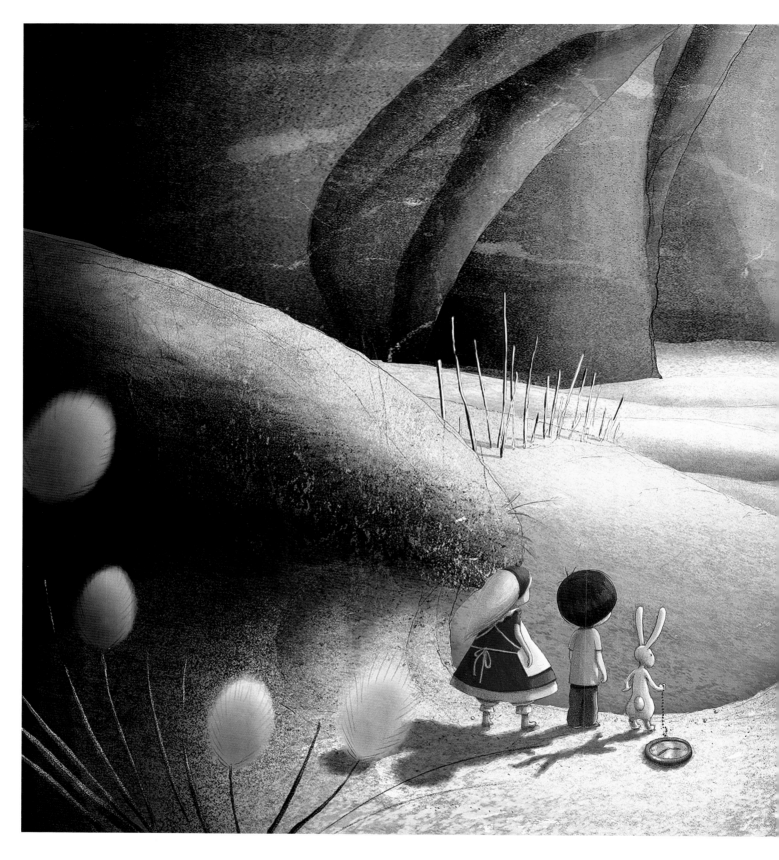

Tenían que cruzar la playa para llegar a la casa. El diminuto equipo salió del almacén y se alejó por la arena. Cuando llegaron a la cumbre de la duna, Nat examinó la extensión de la playa.

Todavía no había nadie. Si lograban llegar hasta la arena húmeda avanzarían más deprisa. Antes de bajar por la otra vertiente, Alicia se volvió hacia los que quedaban en el almacén y les hizo una señal. Sin embargo, no vio al personaje que se escondía tras un arbusto.

El Capitán Garfio, con el anteojo bien colocado, comentaba sus avances:

—¡Es el tonto del Ogro quien los persigue! —anunció—. ¡Ojalá le apeteciese comerse al pesado del Conejo y a su dichoso reloj! Pero no, el que le abre el apetito es el pequeño humano.

El Lobo Feroz emitió un rugido espantoso, Cenicienta estuvo a punto de desmayarse, y Gulliver se lamentaba por haber perdido de vista al Ogro cuando el equipo salió.

Con su catalejo, el Capitán Garfio divisó la primera sombrilla plantada en la playa:
—¡Ya llegan los Pies Grandes! ¡Armados hasta los dientes, como auténticos piratas!
Subidos a un tocón, Nat y sus amigos también observaban a los recién llegados.
Estaban de espaldas al mar, y no vieron la ola impetuosa que los atrapó y los atrajo
con fuerza mar adentro.

Las orejas del Conejo Blanco aparecían y desaparecían aquí y allá. Alicia se hundía,
preocupada solo por su vestido mojado. Nat intentaba sujetarla de la mano, pero ella
lo arrastraba. Ya no aguantaba más, así que subió a la superficie un momento:

—¡¡Alicia, o nadamos o nos ahogamos, no estamos en un libro!!

Una cuerda que alguien lanzó desde la playa le golpeó la cara. Se sujetó a ella con todas
sus fuerzas. El Ogro tiró de ellos hacia la arena.

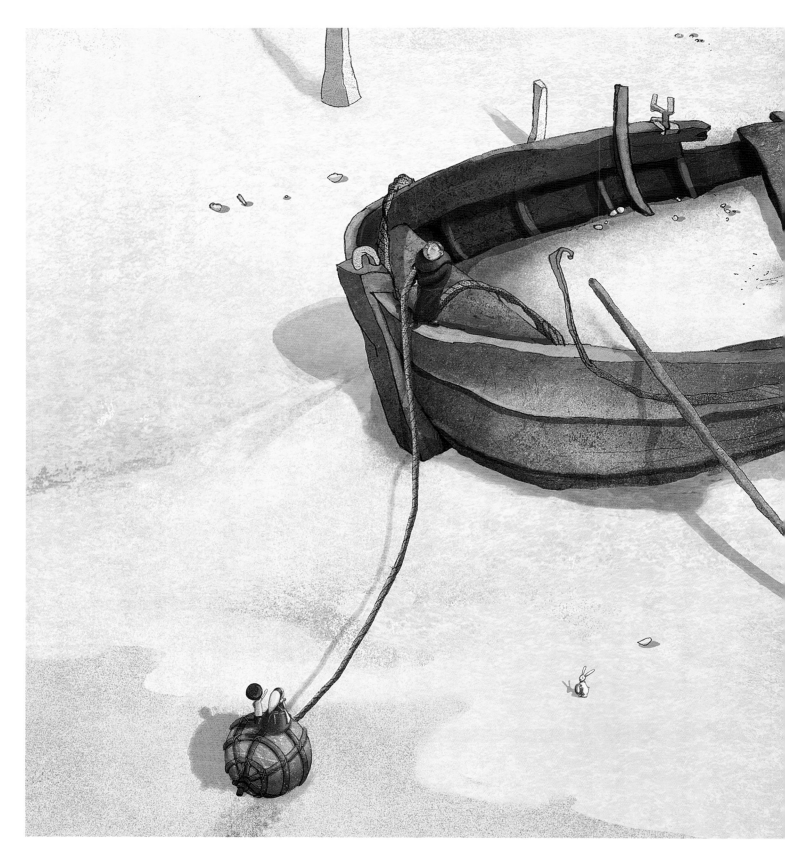

—¡Gracias, nos has salvado! —dijo Nat al Ogro.

—Me gustan los humanos... —respondió el Ogro.

A Natanael se le erizó el pelo del cogote. Le asaltaban extrañas preguntas del tipo: «¿Cómo que le gustan? ¿Con sal, pimienta y pepinillos?». Ya se veía metido en un bote de mostaza. El Ogro empezó a temblar, víctima de un apetito irrefrenable. Alzó al niño con sus manazas y lo llevó hacia sus fauces.

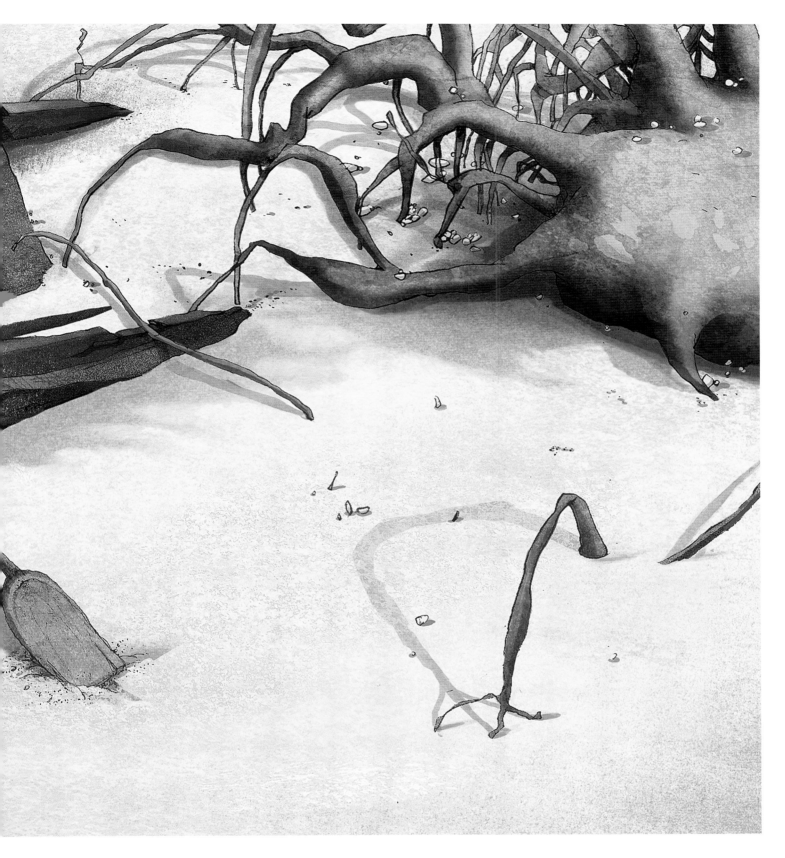

—¡Eh, Ogro! ¡Un amigo es para toda la vida! ¡Si te lo comes de un bocado, se acabó!
—gritó Alicia, que sabía encontrar las palabras justas para calmar a cada persona.
Dividido entre su instinto «hombrívoro» y sus ganas de participar en la aventura, el Ogro
cerró la boca y apretó a Nat contra su corazón con una dulzura infinita.
Se metió al Conejo Blanco en el bolsillo, instaló a Alicia sobre su hombro derecho y a Nat
sobre el izquierdo. Gracias a sus poderosas piernas, avanzaban a toda velocidad.

En el almacén, el primer cliente acababa de llegar.

El señor Kermadec, como buen coleccionista que era, no tardó en tomar una decisión.

—¡Son una verdadera maravilla, se los compro todos!

De pronto, le llamó la atención un grabado.

—¡Pero mire! ¡Gulliver y el Capitán Garfio están en el libro de *Caperucita Roja*!

Picó le quitó el libro de las manos y le ofreció el de *Cenicienta*.

De nuevo, el señor Kermadec quedó sorprendido por la ilustración:
—¡Cenicienta con el Lobo Feroz! ¿Y esto a usted le parece normal?
El anticuario cogió otro libro. En *Las mil y una noches,* Pinocho, Peter Pan y el Gato
con Botas sobrevolaban el palacio de Bagdad en la alfombra mágica de Aladino.
—¡Lo siento, pero en estas condiciones no compraré ni un solo ejemplar!
—dijo indignado el señor Kermadec mientras salía del almacén.

En ese momento, unas gaviotas pasaron chillando a ras de las cabezas de los expedicionarios.
Una de ellas golpeó a Nat y lo tiró al suelo. El Ogro espantó al ave, que volvió con su bandada.
El Conejo Blanco sacó el reloj de bolsillo:

—Son las diez en punto, noventa minutos y seiscientos veinticinco segundos... ¡Ay, ay, ay!
¡Escarola a la bartola! ¡Vamos mal de tiempo! ¡Deprisa, deprisa, corred!
Su carrera llamó la atención de un niño Pies Grandes, que empezó a perseguirlos.

—¡Al castillo de arena! ¡Seguidme! —exclamó Natanael.
En el túnel de un castillo que Nat había construido jugando el día anterior, había
un cangrejo que esperaba la marea. La llegada del grupo perturbó su tranquilidad.
Los persiguió por el laberinto de galerías, que cada vez estaban más húmedas. El Conejo Blanco
utilizó el reloj como una maza, haciéndolo girar por encima de su cabeza, para mantener
al cangrejo alejado. De pronto, vieron un muro de plástico rojo que se abalanzaba sobre ellos…

En el almacén habían cambiado las tornas. El Capitán Garfio estaba maniatado, Peter Pan
le había quitado el anteojo e iba describiendo lo que veía:
—Un Pies Grandes está clavando una pala roja en el castillo de arena, ¡y ellos han desaparecido!
La pala les cortaba el paso y el castillo empezaba a desmoronarse. Natanael espantó
al cangrejo con su última cerilla, ¡justo a tiempo! Una ola invadió los fosos del castillo
y los arrastró a todos, cangrejo incluido. El castillo se derrumbó.

Pero el Pies Grandes los perseguía aún, arrastrando un camión de plástico. El Ogro no fue lo bastante rápido y aterrizó con estrépito en el volquete. En dos saltos sus amigos treparon a su lado, pero el Ogro estaba medio inconsciente. Alicia hablaba con la voz distorsionada. Al Conejo Blanco le caían por los hombros sus orejas reblandecidas. El reloj indicaba las once horas, cuarenta y cinco minutos, treinta y dos segundos...

—¡Zanahorias y pepinos! ¡Nos derretimos!

De pronto, un rayo de esperanza iluminó a Nat, al oír que Angélica lo llamaba para comer,
pero enseguida vio cómo se alejaba hacia la casa de Adrián, su vecino y amigo.
—¡Pasa, Angélica!
Sobre la mesa se extendía una hilera de muñecas, cada cual mayor que la anterior.
—Son *matrioskas* —explicó Adrián—. Eleonora me las trajo de Rusia. ¿Ves?
Se meten unas dentro de otras, y en la última..., ¡sorpresa!

—A mí también me ha regalado una muñeca rusa. Cuando pienso que Nat se ha llevado los libros... ¡Él, que no sabe leer! —refunfuñó Angélica.

—Eleonora os quería mucho a los dos; no creo que quisiera provocar celos entre vosotros —le recordó Adrián.

—Bueno, de todos modos, ahora están en el almacén de Picó.

—¡Cómo! ¿Se los ha llevado ese estafador?

Dentro de las cajas de cartón, los personajes empezaban a perder el color.

—Ha llegado el momento de despedirnos —dijo el Gato con Botas.

—El rosa palo te favorece —dijo el Lobo Feroz a Caperucita Roja.

—Gracias, Lobo. ¡Qué buena pareja hemos hecho!, ¿a que sí?

—¿Sí? ¿He sido un buen Lobo Feroz?

—Sí, has estado genial, todos los niños te tenían mucho miedo...

—¡Venga, chicos! ¡Tenemos que volver a los libros! —intervino el Capitán Garfio.
Picó quiso mostrar los hermosos volúmenes a su nueva clienta. La señora Dupond
entrecerró los ojos: el texto era casi ilegible y las imágenes apenas se veían.
—Lo siento, pero en estas condiciones no estoy dispuesta a comprar ni un solo libro.
El anticuario no comprendía cómo habían podido borrarse los libros en tan poco tiempo.
¡Aquello era una auténtica locura!

Angélica bajó por fin a la playa, con la cometa debajo del brazo.
Justo cuando la dejó en el suelo para rebobinar el hilo, Nat y sus amigos se colaron
en un pliegue y, en un segundo, ya estaban volando por los aires, en medio de sacudidas
y tirones. Acabaron cayendo directos contra el suelo en una corriente mal aprovechada.
Sus amigos estaban cada vez más pálidos; de pronto, el rostro de Angélica apareció
frente a él.

—¿Eres tú, Nat? ¿Qué te ha pasado? ¡Qué pequeño eres! Y esos ¿quiénes son?
¡Qué pálidos están! —exclamó.
Angélica no daba crédito pero reaccionó enseguida.
Por una vez, Natanael vio que su hermana supo estar a la altura de las circunstancias
y les ofreció su ayuda.
En tan solo tres zancadas los subió a la biblioteca de la casa.

Las manillas del reloj del Conejo Blanco se acercaban a las doce del mediodía.

—Deprisa, lee la frase, pequeño rabanillo. ¡Por favor!

—¡Nunca habríamos llegado hasta aquí sin tu ayuda!

La voz de Alicia sonaba muy débil y pronunciar cada palabra le costaba
casi un desmayo.

—Eleonora no se equivocó al elegirte como su sucesor. ¡Todos confiamos en ti!

Y Nat leyó, sin equivocarse ni una vez, las palabras que iban a salvarlos:

—«Que sea inventado no significa que no exista».

—¡Bravo! ¡Bravo! —Alicia daba saltos de alegría.

—¡Son las doce! ¡Qué felicidad, he sido puntual! —exclamó el Conejo.

Sus amigos recobraron las fuerzas y el color. Pero la Bruja Malvada se negó a devolver
a Nat a su tamaño hasta que no hubiese comprobado que todos se habían salvado.

Angélica pidió a su padre que fuera a recuperar los libros al almacén de Picó.
Los personajes saltaron al bolsillo de su chaqueta para acompañarlo.
Cuando llegaron, la Bruja Malvada estaba más tranquila. Ya habían vuelto las majestuosas
mayúsculas y todas las hermosas tipografías, que se colocaron en su sitio,
en todas las páginas, y lo mismo hicieron las ilustraciones con sus deliciosos colores.
Entonces, la Bruja Malvada devolvió a Nat su tamaño natural.

Este exclamó, loco de alegría:

—¡Papá! ¡Estoy aquí! ¡Lo conseguí, ya sé leer! Todos esos libros son ediciones muy valiosas. Quiero leerlos todos, ¡por nada del mundo debemos desprendernos de ellos!

—¿De verdad? Estoy muy orgulloso de ti, Nat. Tienes razón, tenemos que conservar esta maravillosa colección… No te preocupes, ya encontraremos una solución para reparar la casa.

Picó estaba en plena conversación con un extraño cliente nuevo, que parecía decidido
a comprarlo todo.

El padre de Nat se acerco rápidamente a los dos hombres y habló con total
franqueza al anticuario:

—Lo siento, señor, hemos cambiado de opinión, ¡queremos recuperar los libros!
¡Tienen un valor incalculable para nosotros!

—Demasiado tarde, ya tengo un comprador —respondió el comerciante.
—Efectivamente —dijo el cliente—. ¡Los compro todos!

El cliente se quitó el sombrero, las gafas y el bigote postizo. ¡Era Adrián! No había podido soportar ver cómo Nat iba a separarse de los libros que Eleonora le había legado.
Su fiel vecino los ayudó a transportar los libros hasta la casa.

En casa, Angélica los recibió con una radiante sonrisa.

Acababa de descubrir el secreto de la muñeca.

Como todas las muñecas rusas, la suya contenía otra muñeca de trapo más pequeña y, dentro de ella..., ¡sorpresa! ¡Estaban las joyas de Eleonora!

Una verdadera fortuna.

Lo suficiente para pagar todas las reparaciones de la casa y muchas más.

Angélica se sentía feliz. Eleonora no se había olvidado ni mucho menos de ella, la quería tanto como a su hermano y también confiaba en ella.
—¡Eleonora os ha convertido en los ángeles de la guarda de esta casa! —dijo su madre emocionada.

En plena noche, Natanael y Angélica se levantaron sin hacer ruido...

La luna iluminaba la biblioteca. Reinaba un silencio absoluto.
Nat esperaba que los personajes aceptaran la presencia de Angélica
y se dejaran ver. Los esperaron sin moverse.
Se oyeron algunas risas que rompieron el silencio, seguidas de un ruido de libros
que se abrían. Uno tras otro, fueron saliendo todos los personajes.
—¡Piernecilla de espárrago! ¡Es la niña que nos ha ayudado! —exclamó el Conejo Blanco.

Y todos aplaudieron mucho. Angélica estaba maravillada. La Bruja Malvada
se puso a cantar y empezó la fiesta: los personajes desfilaron y, cada uno a su manera,
saludó al pasar... Alicia abrió su propio libro y Nat leyó para su hermana.
—¡Pero qué bien lees! —reconoció Angélica.
Antes de que amaneciera, un último rayo de luna iluminó el retrato de Eleonora
con el gato en las rodillas. La anciana sonreía, y no lo creeréis, pero... ¡el gato también!